MDS : 660842
ISBN : 978-2-215-11467-3
© FLEURUS ÉDITIONS, 2012.
Dépôt légal à la date de parution.
Conforme à la loi n° 49-956 du 16 juillet 1949
sur les publications destinées à la jeunesse.
Imprimé en Italie. (03/12)

Princesse Parfaite

Zoé est trop curieuse

Conception :
Jacques Beaumont
Texte :
Fabienne Blanchut
Images :
Camille Dubois

FLEURUS ÉDITIONS, 15-27 rue Moussorgski, 75018 PARIS
www.editionsfleurus.com

Zoé veut tout voir, tout savoir.
Elle fouine partout et espionne
toutes les conversations,
même celles des grands.

Mais quand elle devient une Princesse
Parfaite, Zoé sait que les secrets ne
peuvent pas tous être dévoilés.
Farfouiller ou écouter quand on
n'y est pas invité, c'est mal élevé !

Hier, Zoé a vu Maman cacher un paquet, mais comme Maman ne veut rien lui dire, Zoé, pour le retrouver, met le bazar dans le placard.

Mais parfois Zoé est une Princesse Parfaite !
Maman sait faire de si belles surprises
qu'elle aime attendre le moment
où elle lui dira : « Ça y est, ma puce !
Ferme les yeux et compte jusqu'à 3 ! »

Toujours curieuse, Zoé a voulu goûter
la sauce au piment alors que Maman
le lui avait déconseillé. C'était tellement
épicé qu'elle l'a senti passer ! La bouche en
feu, elle a bu un verre d'eau... Non, deux !

Mais parfois Zoé est une Princesse Parfaite !
Quand Maman lui dit : « Ce plat-là n'est pas
pour toi, il est trop poivré », Zoé n'insiste
pas, ce qui lui évite bien des tracas !

Quand Papa et Maman invitent
des amis à dîner, Zoé sort de
son lit sur la pointe des pieds.
En pyjama, l'oreille tendue,
elle écoute dans le couloir.
Rien à faire, elle veut
tout savoir.

Mais parfois Zoé est une Princesse Parfaite !
En attendant l'heure du coucher, elle joue
tranquillement avec Adam. De temps
en temps, les parents aiment bien
discuter sans les enfants.

Lorsque Papa
s'enferme dans
son bureau, Zoé
regarde par le trou
de la serrure.
Impossible pour
elle de s'en
empêcher,
c'est vraiment
trop dur !

Mais parfois Zoé est une Princesse Parfaite ! Juste avant de monter se mettre au lit, elle demande à travers la porte fermée : « Papa, tu n'oublieras pas de me faire un câlin pour que je pense à toi jusqu'à demain matin ? »

À la récré, si Rémi murmure un secret
à Suzette, Zoé fait la tête : « Si personne
ne me le dit, je ne suis plus votre amie ! »
Être écartée comme un bébé,
ça lui donne envie de pleurer.

Mais parfois Zoé est une Princesse
Parfaite ! C'est une amie que
tout le monde envie, car
elle ne pose jamais de questions
indiscrètes. Et ça, c'est chouette !

Dès que Papa commence à lire l'histoire du soir, Zoé veut connaître la fin. Il est obligé de lire la dernière page... en premier !

Mais parfois Zoé est une Princesse Parfaite !
Si l'histoire est trop longue, elle marque
la page avec un onglet et range le livre dans
sa table de chevet. Papa et elle attendront
demain pour connaître la fin.

Quand ses grandes cousines, Marie et
Charlotte, s'enferment dans la chambre pour
discuter entre elles, Zoé plaque son oreille
contre la porte. Sans gêne, elle espère
entendre quelques confidences.

Mais parfois Zoé est une Princesse
Parfaite ! S'enfermer pour parler des
garçons du lycée, elle n'en voit vraiment
pas l'intérêt et préfère jouer dans
le jardin avec son chien Galopin.

Maman ne peut jamais téléphoner en paix. Pleine de curiosité, Zoé trépigne à ses côtés et veut absolument savoir qui est au bout de la ligne.

Mais parfois Zoé est une Princesse Parfaite !
Les conversations entre grands, ce n'est
pas marrant et elle préfère inventer de
nouvelles coiffures à sa poupée Aglaé.

Mais quand Marie-Laure a farfouillé, sans permission, dans sa boîte à trésors, Zoé a été fort contrariée. Elle a compris que tout le monde a le droit d'avoir un jardin secret et que si être curieux, c'est bien, être trop curieux peut être un vilain défaut. Zoé est enfin devenue une Princesse Parfaite, de celles qui ne mettent pas le nez dans les affaires des gens sans demander avant !